MELCHIO...

George Sand

I

Vers la fin de l'année 1789, un pauvre pilote-côtier nommé Lockrist disparut, un jour de tempête, sous les récifs de la Bretagne. Il laissa deux fils : Henri, qui se maria et vécut comme il put de la pêche des harengs ; et James, qui s'embarqua en qualité de marmiton sous-cambusier.

Vingt ans après, James Lockrist, après avoir été successivement maître coq d'un grand vaisseau de guerre, cuisinier du gouverneur des Indes, maître d'hôtel de la Chine, et officier de la maison civile du roi de Cambodge, s'établit à la côte de Malabar, et se mit à vivre dans l'opulence. Grâce aux richesses amassées au service de tant d'illustres maîtres, il se construisit une belle habitation dans le goût européen ; après quoi il épousa une riche Anglaise qui lui donna sept enfants.

En devenant mère du dernier, madame Jenny Lockrist mourut. Mais le climat brûlant de l'Inde eut bientôt dévoré sans pitié cette nombreuse postérité.

Il n'en resta qu'une fille, la plus jeune, la plus fluette, la plus impressionnable, et par cela même la plus capable de résister à cette atmosphère de feu : faible roseau qui grandit souple et frêle là où ses frères plus robustes s'étaient desséchés.

En perdant un à un les héritiers prédestinés à son opulence, l'ex-cuisinier du Fils du Ciel (c'est ainsi qu'on appelle l'empereur de la Chine) se détacha presque de ces biens auxquels il semblait condamné à ne pouvoir associer personne.

Il expérimenta combien le luxe a peu de prix pour un homme forcé d'en jouir seul. Sa maison lui sembla moins belle, ses bambous moins élégants, son titre de *nabab* moins glorieux ; en un mot, cette nouvelle patrie, la patrie de son argent, qu'il avait aimée au point d'oublier la France pendant quarante ans, lui devint peu à peu odieuse en lui enlevant tout l'espoir de sa vieillesse.

Une vive fantaisie d'exilé, et plus encore une fervente sollicitude de père, lui firent souhaiter de revoir les grèves qui l'avaient vu naître, et de soustraire son dernier enfant aux mortelles influences qui le menaçaient.

Eu conséquence, James Lockrist résolut d'enlever sa chère Jenny au soleil de l'équateur avant l'âge de quinze ans, vers lequel tous ses frères avaient péri. Il commença à convertir sa fortune en argent ; et, comme une aussi vaste entreprise demandait encore au moins une année, il se décida à s'enquérir de la famille qu'il avait laissée en Bretagne, afin de renouer quelque relation avec une contrée où il craignait de se trouver isolé.

À huit mois de là James reçut de France une réponse à ses informations. On lui apprenait que son frère Henri était mort depuis environ vingt ans, laissant dans la misère une veuve et quatorze enfants.

Mais le froid et la faim avaient anéanti la postérité de Henri comme le soleil et le luxe avaient éteint celle de James.

Les survivants étaient réduits, en Bretagne comme dans l'Inde, au nombre de deux : la veuve septuagénaire qui vivait indigente aux environs de Brest, et son fils Melchior Lockrist, qui venait d'obtenir une lieutenance dans la marine marchande.

Ce fut le curé de l'humble village de chaume où le puissant nabab avait vu le jour qui se chargea de lui faire parvenir ces renseignements.

Ce fut une lettre aux formes antiques et paternes, où perçaient, comme dit Goldsmith, l'orgueil du sacerdoce et l'humilité de l'homme ; une lettre toute pleine de timides reproches sur le long oubli où James avait laissé sa famille, d'exhortations communes et maladroites sur la vanité et le mauvais emploi des richesses, d'efforts délicats et chaleureux pour intéresser le nabab à ses pauvres parents.

Il y eut une période de cette lettre où M. Lockrist faillit la jeter avec colère et dédain, et une autre qui émut ses entrailles au point d'amener une larme dans le sillon formé par une ride sur sa joue sèche et safranée.

Et véritablement il était impossible de ne pas se prendre de compassion pour cette pauvre veuve que le curé montrait si pieuse et si pauvre ; de bienveillance pour ce jeune homme qui avait en pleurant quitté sa mère afin de lui être plus utile.

« Melchior, disait le bon curé, est le plus bel homme de la Bretagne, le plus brave marin de l'Océan, le meilleur fils que je connaisse. »

Il ajoutait que ce hardi compagnon était en mer sur le navire *Inkle et Yariko* frété pour l'archipel indien ; et il terminait en faisant des vœux pour que, dans les hasards de la navigation, l'oncle et le neveu vinssent à se rencontrer.

Une circonstance puissante vint donner une nouvelle ardeur à l'intérêt que la lettre du curé inspira au nabab pour son jeune parent.

Jenny, sa chère Jenny, son fragile et précaire enfant, ressentit les premières atteintes du mal qui n'avait épargné qu'elle, et qui semblait réclamer sa dernière victime. La médecine glissa dans l'oreille paternelle une parole qui eût fait rougir le chaste front de Jenny. Il fallait la marier sans trop de délais.

Cette ordonnance jeta d'abord M. Lockrist dans de grandes perplexités. Outre que sa fille avait encore à attendre six mois l'âge nubile exigé par les lois françaises, il était difficile de lui trouver un mari qui consentit à partir aussitôt pour l'Europe, et à s'y fixer avec elle.

Il savait que de telles conditions sont toujours faciles à éluder après le mariage ; et il ne voyait autour de lui aucun homme dont la loyauté ou le désintéressement lui offrissent de suffisantes garanties.

Enfin, pour dernier obstacle, Jenny, élevée dans une solitude assez romanesque, montrait un invincible dégoût pour tous ces hommes si avides de s'enrichir. Elle prétendait n'accorder son cœur et sa main qu'à un amant digne d'elle, personnage utopique qu'elle avait rencontré dans les livres, et qui ne se trouvait nulle part sous un ciel où l'or semble être plus précieux aux Européens que la vie.

Alors M. Lockrist pensa naturellement à son neveu, ou plutôt Jenny l'y fit penser. Elle écouta avec émotion la lettre du curé breton, et quand elle vit son père touché du portrait de Melchior, elle se jeta dans ses bras en lui disant :

– Je suis bien heureuse à présent, car si je meurs tu ne seras pas seul sur la terre : mon cousin te restera.

De ce moment le nabab n'eut pas un instant de repos qu'il n'eût trouvé son cher, son précieux neveu.

Il écrivit dans toutes les îles, à Ceylan, à Java, à Céram et à Timor. il s'enquit dans tous les ports de la presqu'île : à Barcelor, à Tucurin, à Paliacate, à Sicacola ; et enfin un jour, un beau jour qu'on attendait sans l'espérer le gouverneur, qui était fort lié avec M. Lockrist et qui lui avait promis de guetter tous les débarquements, lui écrivit que le lieutenant Melchior Lockrist venait d'aborder avec l'*Inkle et Yariko* dans le port de Calcutta

Aussitôt le nabab monte dans sa litière, et après avoir confié Jenny à sa nourrice, court à la rencontre de son neveu.

Melchior était un grand et robuste garçon, taillé sur un beau type armoricain, un vrai fils de la mer et des tempêtes, hardi de cœur, gaucho de manières, superbe au vent de l'artimon, maladroit au rôle d'héritier présomptif, et ne sachant pas plus parler à une jeune miss qu'à un cheval de guerre.

Quand le gouverneur lui ouvrit les portes de son palais, le traita mieux qu'un capitaine de bâtiment, et lui parla d'un oncle riche et généreux qui l'attendait pour l'adopter, Melchior crut faire un rêve ; mais l'expression de sa surprise fut modérée par une forte habitude d'insouciance ; et le

– *Ma foi, tant mieux !*

dont il accueillit ces nouvelles merveilleuses, résuma toute la philosophie pratique d'une existence de marin.

Fidèle aux instructions que M. James lui avait données, le gouverneur laissa complètement ignorer à Melchior l'existence de Jenny. Il lui dit seulement que son oncle l'accueillait en qualité de célibataire, et sous la condition expresse qu'il n'essaierait jamais de se marier sans son consentement.

Cette exigence particulière sembla choquer Melchior, et sa figure, jusqu'alors insoucieuse et calme, prit un air de défiance et de trouble que le gouverneur ne s'expliqua pas bien.

– Diable ! dit-il en laissant tomber le bec de sa chibouque, quelle étrange idée est-ce là ? Mon oncle voudrait-il se débarrasser en ma faveur d'une fille laide et bossue dont personne n'aurait voulu dans la contrée ?

Cette conjecture fit sourire le gouverneur.

– Votre oncle n'a pas de fille bossue, lui dit-il gaiement, tout au contraire, le célibat est sa manie pour lui et pour les autres. Vous ferez bien de vous y conformer.

– Soit ! répondit Melchior en ramassant sa chibouque.

Deux jours après, comme le jeune lieutenant dormait dans son hamac à bord de l'*Inkle*, il fut réveillé en sursaut par les embrassements d'un petit homme jaune et maigre, habillé des plus riches étoffes de l'Inde taillées sur les modes françaises de 1780.

La toilette de M. Dupleix, gouverneur de l'Inde, dont à cette époque le nabab avait eu l'honneur d'être cuisinier, avait servi de type, durant tout le reste de sa vie, à ses idées sur l'élégance parisienne. Aux marges de son habit de damas *nacarat* étincelait une garniture de boutons en diamants d'une largeur exorbitante, et son gilet, dont les poches tombaient jusqu'aux genoux, était brodé de perles fines.

Ce digne représentant d'une génération qui s'efface, ce vivant débris de la France de madame Dubarry, portait encore des bas de soie brochés en rose, des souliers à boucles, et une épée dont la garde était montée en pierres précieuses. Melchior eut bien de la peine à s'empêcher de rire en contemplant son oncle dans toute la splendeur de ce costume.

Ils partirent immédiatement ensemble pour l'habitation du nabab, située à une trentaine de lieues au nord de Calcutta.

L'éléphant qui les portait franchit cette distance en une seule journée.

Durant la route, M. Lockrist fit à son neveu un si prolixe éloge de ses propriétés, il entra dans des détails d'affaires si fastidieuses et si monotones, que le jeune marin eut bien de la peine à se tenir éveillé à ses côtés. Mais un trésor dont James était encore plus vain, c'était sa fille Jenny, et ce ne fut pas sans peine qu'il parvint à se taire sur son compte. Ainsi l'avait exigé la jeune Indienne.

Informée des projets de son père, elle voulait que Melchior les ignorât jusqu'au jour où elle le connaîtrait assez pour le juger digne de sa main. Malgré l'impatiente curiosité qui lui faisait désirer l'arrivée de son fiancé inconnu, malgré les rêves dont sa fraîche imagination poétisait l'avenir, une instinctive dignité de jeune femme lui prescrivait d'attendre, pour se promettre, qu'elle fût bien sûre de vouloir se donner.

Jenny s'ennuyait de la solitude ; mais la médecine, qui n'a que des remèdes systématiques, lui administrait le mariage comme elle conseille l'opium, sans tenir compte du discernement qu'exige une organisation délicate par rapport à l'un, une âme fière par rapport à l'autre.

La romanesque fille, remettant donc en pratique une feinte dans le goût de Marivaux (ignorante qu'elle était du commun et de l'invraisemblance de la chose), ne parut d'abord aux yeux de son cousin qu'à l'abri d'un petit rôle de gouvernante qu'elle se créa quatre jours d'avance, et dont tout homme tant soit peu littéraire n'eût pas été dupe pendant quatre heures.

Mais il se trouva que Melchior ne connaissait pas mieux la société que le théâtre ; qu'il n'était pas plus au courant du langage d'une jeune miss abonnée au *Court Magazine* et à la *Revue* du monde fashionable de Londres qu'à celui d'une soubrette de comédie. Il ne se douta de rien, s'installa sans façon chez son oncle, examina ses riz, ses mûriers, ses foulards et ses cachemires, avec plus de complaisance que d'intérêt, mangea énormément, but en proportion, fuma les trois quarts de la journée, et dans ses moments perdus fit sans façon la cour à la prétendue gouvernante.

Alors Jenny, révoltée de tant d'audace, jeta le masque et foudroya le téméraire en lui déclarant qu'elle était la fille unique et légitime du nabab James Lockrist.

Mais le marin se remit bientôt de sa surprise ; et, prenant sa main avec plus de cordialité que de galanterie :

– En ce cas, ma belle cousine, je vous demande pardon, lui dit-il ; mais avouez que vous êtes encore plus imprudente que je ne suis coupable. Est-ce pour éprouver mes mœurs que vous m'avez fait subir cette mystification ? L'épreuve était dangereuse, vive Dieu !...

– Arrêtez, monsieur, dit Jenny profondément blessée du ton et des manières de celui qu'elle avait rêvé si parfait. Je comprends tout ce que vous imaginez ; mais je dois me hâter de vous détromper.

– Dieu me punisse si j'imagine quelque chose, interrompit Melchior.

– Écoutez-moi, monsieur, reprit Jenny. La volonté, ou, si vous voulez, la fantaisie de mon père est de condamner au célibat tout ce qui l'entoure ; moi particulièrement. C'est dans la crainte que vous ne vinssiez à ébranler mon obéissance qu'il m'a fait passer à vos yeux pour une étrangère ; mais je pense qu'il est un meilleur moyen de détourner les prétendus dangers de notre situation respective :

c'est de nous déclarer l'un à l'autre que nous ne nous convenons point, et que jamais nous ne serons tentés d'enfreindre la loi qui nous prescrit l'indifférence.

Une vive expression de joie brilla sur le visage de Melchior.

Jenny sentit à cet aspect que le sien avait pâli.

– S'il en est ainsi, petite cousine, reprit le marin en cherchant encore à s'emparer de la main froide et tremblante de Jenny, faisons mieux : soyons frère et sœur. Je jure que je ne veux rien de plus, et que cet arrangement m'ôte une grande crainte de l'esprit. Voyez-vous, le mariage ne me convient pas plus que la terre à une bonite ; et je m'étais mis dans la tête, depuis quelques jours, que mon oncle...

– C'est bon ! interrompit encore Jenny en retirant sa main, je vous servirai auprès de mon père, je tâcherai qu'il vous fasse part de ses biens pendant ma vie, et qu'il vous adopte après sa mort.

– Oh ! s'il vous plaît, cousine, entendons-nous, dit Melchior en changeant de ton, comme s'il eût compris tout ce que cette générosité renfermait de douleur et de mépris.

« Je n'ai besoin de rien, moi ; je suis jeune, robuste ; un peu plus d'or ne me rendrait pas beaucoup plus content de mon sort que je ne le suis.

« Vous vous trompez diablement... (pardon, ma cousine), vous vous trompez beaucoup si vous croyez que je viens demander l'aumône à mon digne oncle, que j'aime de tout mon cœur, malgré sa culotte de satin et ses manchettes de dentelle. Je ne l'ai pas cherché, moi ; il y a huit jours je ne savais pas seulement qu'il existât.

« J'arrive, il me saute au cou, il m'amène ici, me montre ses richesses, me demande si je serais bien aise de posséder tout cela ; à quoi je répondis toujours affirmativement par forme de politesse. Aujourd'hui vous m'apprenez que vous êtes sa fille : cela change bien les choses. Il ne me reste qu'à me féliciter d'avoir une si jolie parente, à remercier mon oncle de ses bontés pour moi, et à rejoindre mon poste sur le navire *Inkle et Yariko*, avant que ma personne devienne insupportable.

– Vous semblez douter de notre affection, mon cousin, dit Jenny toute confuse et tout abattue ; c'est une injustice que vous nous faites. »

Et comme elle sentait que c'était là un dénouement bien triste à des projets si riants, elle ne put cacher une larme qui tremblait au bord de sa paupière.

Melchior reprit courage.

– Cousine, dit-il avec sa manière brusque et franche, je veux vous prouver que je crois à votre amitié et que j'estime votre cœur. Je vais vous confier un désir qui me pèse, mais dont je ne rougis pas. Vous m'aiderez auprès de mon oncle, ou plutôt vous vous chargerez de ma demande.

« Voici : ma mère est une bonne femme ; je n'ai qu'elle à aimer dans le monde ; aussi je l'aime. Elle a élevé, tant qu'elle l'a pu, quatorze enfants, qui tous sont morts sans l'aider. Pour en venir là, il lui a fallu contracter des dettes que dix ans de ma paie ne sauraient éteindre. En attendant, ma mère mourra de faim et de froid.

« Vous ne savez pas ce que c'est que le froid, Jenny ; chez nous c'est un mal qui revient tous les ans, et dont les vieillards souffrent particulièrement. Que mon oncle lui assure six cents livres de rentes ; ce sera fort peu de chose pour lui, et pour moi ce sera un immense service... »

Jenny tendit cette fois sa main au marin.

– Allons trouver mon père ensemble, lui dit-elle ; je me charge de tout.

En les voyant arriver d'un air de bonne intelligence, le visage du nabab s'épanouit.

En trois mots et d'un air d'autorité enfantine, Jenny demanda le capital de six mille livres de rentes pour la mère de Melchior.

– J'ai dit six cents, objecta le jeune homme.

– Et moi je dis six mille, reprit Jenny en riant. Pour nous c'est une bagatelle, et croyez bien que mon père n'en restera pas là. Bientôt nous serons auprès de ma tante ; mais auparavant il faut que le premier navire qui mettra à la voile lui porte cette somme.

– Certainement, certainement, dit M. James, qui, en signant un bon sur une des premières maisons de commerce de Nantes, croyait dresser le contrat de mariage de sa fille avec Melchior ; bientôt nous serons tous réunis, et nous ne nous quitterons plus...

– Oh ! pour ma mère, dit Melchior en embrassant avec effusion son oncle, la bonne femme sera trop heureuse de passer le reste de ses jours avec vous... Quant à moi...... je suis marin !...

– Hein ? hein ? dit le nabab en levant les yeux avec surprise ; et voyant l'air consterné de sa fille, il fronça le sourcil. Rappelez-vous, Melchior, dit-il d'un ton sévère, que je veux être obéi. Auriez-vous donc la fantaisie de former quelque établissement contre mon gré ?...

– Non pas que je sache, cher oncle, dit Melchior.

– Eh bien donc, reprit le nabab, rappelez-vous à quelle condition je signe cette donation en faveur de votre mère... vous ne vous marierez qu'avec ma permission.

– Oh ! pour cela, mon oncle, dit Melchior en souriant, il m'est facile de vous obéir. Recevez ma parole et soyez tranquille.

– Quant à vous, bonne Jenny, dit-il à demi-voix en se tournant vers elle, je vous jure de vous aimer comme ma mère, et jamais autrement.

– Il ne comprend pas ! dit Jenny quand elle fut seule ; et elle fondit en larmes.

Trois jours après, Melchior voulut prendre congé de son oncle, objectant que sa présence à bord de l'*Inkle* était indispensable.

Le départ de ce navire pour la France était fort prochain.

– Va, dit le nabab, et retiens pour ma fille et moi les deux meilleures chambres du bâtiment. Nous partirons tous ensemble.

– Allons, décidément, pensa Melchior, il ne me sera pas possible de me débarrasser de la tendresse de mon oncle.

Le 2 mars 1825, l'*Inkle et Yariko* mit à la voile, emportant Melchior et sa famille.

II

Deux mois de traversée s'écoulèrent sans apporter de notables changements à la position respective de ces trois personnes.

Le peu d'empressement de Melchior étonnait profondément le nabab. Il affligeait douloureusement Jenny, car elle avait beaucoup aimé Melchior avant de le voir ; et depuis qu'elle connaissait sa bravoure et sa franchise elle le regrettait. Elle eût voulu en être aimée. Mais en vain déploya-t-elle toutes les ressources de l'adresse féminine pour lui faire comprendre la vérité, Melchior sembla prendre à tâche de l'empêcher de se rétracter.

Franc et affectueux lorsqu'elle le traitait comme son frère, il devenait sceptique et moqueur dès qu'une pensée d'amour se glissait à l'insu de Jenny dans ses paroles. Cette sorte de résistance, qui intervertissait complètement l'ordre des rôles, enflamma l'intérêt et la curiosité de la jeune fille ; elle lui fit une vie de souffrance, de douleur et d'anxiété. Elle alluma dans son cœur une de ces passions romanesques si pleines d'énergie et de durée, quelque fragiles qu'en soient les éléments.

Elle avait compté d'abord sur les rapprochements forcés de la vie maritime ; elle ignorait que là, plus qu'ailleurs, Melchior pouvait échapper à ses innocentes séductions et se soustraire aux chastes dangers du tête-à-tête.

Cependant le gros temps ayant confiné pendant quinze jours les passagers dans la dunette, et cloué les officiers à la manœuvre, elle espéra encore, se disant que Melchior ne la fuyait pas, qu'il était seulement empêché de la voir, et que le beau temps le ramènerait peut-être auprès d'elle.

Les rayons matineux d'un beau soleil et le splendide aspect des montagnes d'Afrique attirèrent un jour la jeune Indienne sur le pont, avant que l'équipage fut éveillé, et lorsque Melchior achevait sa station de quart le long de la grand-voile.

La rouge clarté du Levant embrasait les flots, que le voisinage des *bas-fonds* avait fait passer du bleu de cobalt au vert émeraude.

La montagne de la Table avec sa blanche nappe de nuées, les pics du Tigre et les mornes de la côte Nathol se teignaient des reflets d'un rose argenté. Une délicieuse odeur d'herbages venait à plus de quatre lieues en mer parfumer les brises folâtres qui se jouaient dans la plissure des voiles.

Des troupes de pinguoins et de damiers bondissaient dans l'écume que soulevait la proue du navire ; et le bel oiseau appelé *manche de velours* semblait à peine porter sur les flots, moins souples, moins élastiques que lui.

Jenny s'assit sur un banc sans paraître remarquer son cousin.

Il la vit bien passer, mais il ne l'aborda point, pour deux raisons : la première fut un sentiment de discrétion respectueuse ; la seconde fut l'envie d'achever son cigare, dont Jenny n'aimait point la fumée.

Cependant, lorsqu'il vit l'attitude brisée de cette triste jeune fille, un mouvement de bonhomie lui fit jeter le reste de son *maryland* et il s'approcha d'elle avec autant de douceur qu'il en put mettre dans sa démarche et dans sa voix.

– À quoi donc pensez-vous, miss Jenny ? lui dit-il en s'asseyant sur le banc auprès d'elle.

– Je me demande où vont ces flots, répondit-elle en lui montrant les remous que fendait la coque du navire : je me demande où va la vie. Peut-être faudrait-il, pour être heureux, courir comme ces vagues et ne s'attacher nulle part. C'est ainsi que vous faites, Melchior ; vous n'aimez que la mer, n'est-il pas vrai ? vous pensez que la terre n'est pas la patrie des âmes fortes.

– Ma foi, je ne sais pas quelle est la destination de l'homme, dit Melchior ; je ne m'en inquiète pas plus que de ce que devient la fumée de ma pipe quand je la jette au vent qui l'emporte ; j'aime la terre, j'aime la mer, j'aime tout ce qui passe à travers ma vie.

« Quand je suis ici, je ne sais rien de plus beau qu'un navire bien gréé, qui a le vent dans toutes ses voiles, et dont la banderole voltige au milieu d'un bataillon de pétrelles.

« Mais quand je suis là-bas, j'aime à regarder une belle maison dont toutes les fenêtres, dont tous les balcons sont pavoisés de jolies femmes.

« Le ciel est beau sur l'Océan ; il est beau la nuit sur les savanes ; il est beau encore le matin derrière les nuages gris de ma patrie.

« Que sais-je, moi, si l'homme est fait pour voyager ou pour rester ? Dites-moi lequel est plus heureux de l'oiseau ou du poisson ? Je ne suis pas de ceux à qui il faut peser l'air et choisir le biscuit.

« Où je suis, je sais vivre ; où le vent me porte, je m'acclimate et me mets à fleurir, en attendant qu'un vent contraire me pousse à l'autre rive du monde, comme ces algues que vous voyez passer là dans notre sillage, et qui s'en vont achever sur les côtes d'Amérique leur floraison commencée aux grèves de l'Asie.

– Aucun lieu du monde ne vous a donc laissé de regrets ? dit lentement Jenny.

– Aucun, dit Melchior, si ce n'est celui où tous les ans je laisse ma mère. Après elle, et après vous, Jenny, je n'aime personne beaucoup plus qu'un bon cigare. Je n'ai connu aucun homme assez longtemps pour échanger du bonheur avec lui. Notre amitié n'était jamais qu'un jour volé en passant aux dangers de la mer et aux chances de la destinée. Le lendemain devait nous séparer, et c'eût été faiblesse que de nous apprêter des regrets.

– Vous avez raison, dit tristement Jenny, le bonheur est dans l'absence des affections.

– Pour moi, c'est ma règle, reprit Melchior. J'ai vu dans le Zuyderzée de braves bourgeois qui élevaient leurs enfants et qui travaillaient pour leurs petits-enfants. Moi, je suis marin. L'hirondelle niche où elle peut, et la mouette n'a pas de patrie.

– Vous n'avez donc jamais aimé ? dit Jenny avec naïveté.

Puis, rougissant de sa curiosité, elle reprit :

– Pardonnez, mon cousin, mes questions sont indiscrètes ; mais l'impossibilité où nous sommes de nous marier ne rend-elle pas notre confiance exempte de tout danger ?

Melchior trouva cette sécurité bien naïve ; mais elle ne lui ôta rien de son respect pour Jenny.

– À votre aise, dit-il. Je vous dirai la vérité. J'ai aimé très souvent, mais à ma manière, et nullement à la vôtre. Une fois, l'on a voulu me faire croire que j'étais épris sérieusement... Mais, que Satan me chavire si je mens ! jamais je ne l'avais été moins.

– Contez-moi cela, dit la pâle jeune fille qui écoulait avec anxiété toutes les paroles de Melchior.

– Pardon, Jenny, répondit-il ; restons-en là. Il y a des souvenirs déplaisants pour moi dans cette histoire.

– C'est moi qui vous demande pardon, reprit Jenny avec douceur. J'ai peut-être réveillé quelque reproche assoupi dans votre conscience ?

– Non, sur mon honneur, Jenny. J'étais bien jeune alors, et sans expérience. Je fus trompé. C'est une histoire qui n'a que ces trois mots.

– Je voulais dire que c'était un regret, peut-être...

– Pas davantage. Comment aurais-je regretté une méchante et menteuse femme, moi qui ai quitté sans humeur les ananas de Saint-Domingue pour le poisson sec des Esquimaux ? Le monde est grand, la mer est libre, la vie est longue. Il y a de l'air pour tous les hommes, des femmes pour tous les goûts... J'ai sombré ce malheur-là dans ma mémoire, et depuis je me suis fait une morale à moi : c'est de ne jamais aimer une femme plus de quinze jours. Ensuite, je lève l'ancre, et le vent du départ souffle sur mon amour.

– Ainsi, dit Jenny, c'est par ressentiment contre les femmes que vous les vouez toutes au mépris et à l'indifférence ?

– Point, répondit le marin, je ne les juge pas. Je fais mieux, je les aime toutes, sauf pourtant les vieilles et les laides.

Jenny fut saisie d'un sentiment de dégoût, et elle se leva pour s'en aller.

Melchior reprit, sans paraître s'en apercevoir :

– Si j'ose vous dire cela, Jenny, c'est parce que vous n'êtes point une femme pour moi, et que jamais la pensée ne m'est venue...

– Je vais rejoindre mon père qui doit être éveillé, répondit-elle.

Et Jenny alla s'enfermer dans sa cabine pour y pleurer encore.

Après quelques jours de découragement, elle revint à se dire que Melchior pouvait être capable d'aimer une femme digne de lui ; et elle se demanda humblement si elle était cette femme. Elle ignorait, l'innocente Jenny, quelle immense supériorité la distinguait de toutes celles que Melchior avait pu rencontrer.

Son cœur était si candide, si modeste, qu'il s'accusait sans cesse du peu de succès de ses tentatives. Elle se blasphémait elle-même en reprochant à la nature les formes sveltes et nobles, la beauté toute chaste, tout anglaise, que sa mère lui avait transmise.

Elle maudissait ce coloris septentrional que le soleil de l'Inde et le hâle des brises maritimes ne pouvaient ternir, cette ceinture délicate qu'une Géorgienne eût regardée avec dédain, et jusqu'à ces blanches mains qu'une Indoue eût peinte en rouge. Elle n'avait point habité la contrée où elle devait être belle, et s'imaginait ne pas l'être pour Melchior.

Elle craignait aussi de manquer d'esprit ; elle oubliait que l'habitude de lire et de méditer lui avait ouvert un cercle d'idées plus élevées que celles de cet homme nativement bon et brave, mais auquel il manquait de savoir la raison de ses qualités. Elle le voyait au travers de son ancien enthousiasme pour la chimère de l'avenir, et le plaçait bien haut pour s'épargner un mécompte.

Enfin elle se reprochait comme autant de défauts toutes les qualités que Melchior n'avait pas, ne devinant même pas que l'amour qu'elle éprouvait et celui qu'il n'éprouvait pas, faisaient d'elle une femme complète et de lui un homme incomplet.

Tandis qu'elle souffrait de l'alternative d'espoir et de découragement où la jetait chacun de ses entretiens avec Melchior, tandis qu'incertaine et déchirée elle luttait tantôt contre l'indifférence de son amant, tantôt contre son propre amour, James Lockrist, dont l'intelligence de nabab se refusait à saisir toutes les subtilités de l'amour chez une jeune fille, lui faisait subir une sorte de persécution pour qu'elle eût à se prononcer.

Son rôle à lui devenait de plus eu plus difficile dans tous ces mystères de cœur, auxquels il n'entendait rien. Il avait vu d'abord cette intimité avec plaisir ; mais lorsqu'au bout de trois mois il voulut en savoir le résultat, il fut étrangement surpris du ton de négligence mélancolique avec lequel Jenny lui répondit :

– Je ne sais pas.

L'équipage était alors en vue des côtes de Guinée.

Après de longues et vaines discussions, le nabab crut comprendre que Melchior était complètement dupe du puéril artifice inventé pour l'éprouver. James Lockrist n'alla point jusqu'à soupçonner que le cœur de son neveu pût être entièrement vide d'amour et d'ambition.

Mais Jenny, voyant son père déterminé à instruire Melchior de ses véritables intentions, prit un parti extrême.

Sa fierté de femme se révolta de penser qu'on offrirait sa main à un homme si peu désireux d'obtenir son cœur. Elle eût mieux aimé la mort qu'un refus de sa part ; car à toute son humiliation venaient se joindre les douleurs d'un amour malheureux.

Préférant le désespoir à la honte d'espérer peut-être en vain, elle déclara formellement à son père qu'elle estimait beaucoup Melchior, mais qu'elle ne l'aimait point assez pour en faire son époux.

Cette étrange conclusion à trois mois d'incertitude, chagrina d'abord vivement le nabab ; et puis il se consola en pensant que l'héritière de plusieurs millions ne serait pas longtemps au dépourvu ; il s'applaudit même de n'avoir pas compromis la dignité de son argent en faisant d'inutiles ouvertures à son neveu, et laissa Jenny complètement maîtresse de l'avenir et du présent.

Mais malgré toutes ces volontés contradictoires, la fatalité faisait concourir toutes choses à la formation de son œuvre inévitable.

Melchior donnait aveuglément dans une ruse qu'on ne prenait presque plus la peine de lui voiler. Jamais il ne se fût avisé de deviner qu'à lui, pauvre marin sans éducation et sans fortune, on eût songé à offrir la plus riche et la plus jolie héritière des deux presqu'îles.

Ces sortes de perceptions audacieuses ne viennent qu'aux âmes douées d'assez d'amour ou de cupidité pour entreprendre de les réaliser.

Il alla même jusqu'à se persuader que Jenny était triste à cause d'un amour contrarié dans l'Inde par la volonté de son père. Il se défia tant d'elle qu'il ne songea point à se défier de lui, et il crut que son cœur devait toujours dormir calme à l'abri de sa médiocre destinée.

Comment eût-il prévu l'avenir, lui qui ne se connaissait pas et qui n'avait jamais été surpris par les passions ?

Alors il se fit une étrange et soudaine révolution dans ce jeune homme ; il continua de nier l'amour pour son propre compte, mais il se prit à croire ce sentiment possible chez les autres ; il se dit qu'une femme comme Jenny était digne de l'inspirer, et il s'estima beaucoup moins qu'il ne l'avait fait jusqu'alors ; car il se convainquit par la comparaison qu'il était beaucoup au-dessous d'elle.

Peut-être que la conscience de la nullité est le premier pas vers un noble essor. Les sots ne l'ont jamais.

L'ignorance peut se passer longtemps de modestie ; mais si elle vient un jour à rougir d'elle-même, elle n'est déjà plus l'ignorance.

Melchior n'eut pas plus tôt placé Jenny à son véritable point de vue par rapport à lui qu'il devint moins indigne d'elle ; mais les émotions toutes nouvelles qui s'éveillèrent en lui dès lors, troublèrent sa conscience pour des motifs dont elle seule avait le secret.

Il résolut d'éviter la présence de sa cousine ; il se croyait très fort parce qu'il n'avait jamais fait l'expérience de sa force en de semblables combats ; mais c'était une entreprise plus difficile qu'il ne se l'était imaginé. À son insu le mal avait envahi bien du terrain.

Un jour il fit un effort héroïque : ce fut de se vanter encore à Jenny de son mépris pour ce qu'elle appelait l'amour ; mais au moment où il énonçait ce sentiment, un sentiment si contraire se révélait hautement à son âme, qu'il s'éloigna brusquement, et se livrant à un ordre de réflexions qu'il n'avait jamais faites, il fut épouvanté de sentir en lui deux volontés opposées, deux besoins absolument contraires ; il s'éveilla comme d'un profond sommeil, et se demanda comment il avait vécu vingt-cinq ans sans savoir des choses si positives et si simples.

Bien rarement nous arrivons à la force de l'âge sans avoir abusé de notre première énergie, émoussé nos passions, gaspillé cette sensibilité virginale si précieuse et si fragile. L'éducation développe en nous, dès les jours de l'adolescence, une ardente curiosité et souvent même de faux besoins du cœur.

Dans une littérature dont le but semble être de poétiser le désir et d'aiguiser l'amour, nos imaginations précoces ont puisé, beaucoup trop peut-être, le rêve des grandes affections.

Il en est résulté qu'en demandant à la vie ses joies inconnues, nous n'avons joué sur la scène réelle qu'une parodie amère ; nous n'avons recueilli que honte et douleur là où nous arrivions pleins de sève, guidés en même temps qu'abusés par la tradition des temps poétiques, des amours perdus. Nous avons pitoyablement dépensé nos aveugles richesses ; nous avons donné de notre cœur à pleines mains et à tout le monde. Aussi nous sommes désabusés avant d'atteindre à nos plus belles années. La nature n'a pas encore donné le complément à nos facultés, que l'expérience nous les a éteintes.

Nos anciennes chimères vinssent-elles à se réaliser, notre âme ne pourrait plus les accueillir ; ces fleurs trop frêles se flétriraient en tombant sur un sol amaigri.

Le même jour qui nous fait hommes nous fait vieillards, ou plutôt il n'y a pas d'heure intermédiaire entre l'enfance et la caducité : tel est l'ouvrage de la civilisation.

Mais le jeune Lockrist, élevé loin du monde et des arts, pétri dès l'enfance pour une vie dure et frugale, n'avait jamais bu à ces sources empoisonnées. Il était dans la société comme une pièce de monnaie toute neuve dans la circulation, alors que le frottement n'a point encore usé son empreinte.

S'il n'avait eu que peu d'idées jusque-là, du moins n'en avait-il jamais eu de fausses ; il ne possédait ni le savoir, ni l'erreur, qui tient de si près au savoir. L'amour, réduit dans ses perceptions au plaisir d'un jour, n'avait pas brûlé son sang, fatigué son cerveau, amorti sa force intellectuelle.

Ce hardi marin, si rude d'écorce, si prosaïque de langage et de manières, ce brut métal coulé dans un moule vulgaire renfermait pourtant des trésors d'amour et de poésie qui n'attendaient qu'un rayon de lumière pour éclore.

Combien de semblables hommes n'avons-nous pas rencontrés ! Combien semblaient inféconds, qui ont produit de grandes choses ! Combien promettaient de hautes destinées, qui sont demeurés stériles ! Si celui-là ne fût né près d'un trône, il n'eut été propre qu'aux dernières fonctions de la société ; si cet autre eût appris à lire, il eut été Cromwell.

Aussi quand le véritable amour envahit le cœur de Melchior, ce fut une irruption si large et si violente qu'il emporta en un instant le passé comme un rêve. Il trouva des aliments intacts qu'il dévora comme un incendie, et chez ce marin grossier, ignorant et libertin, il se développa certes plus intense et plus dramatique que dans le cerveau d'un poète dandy de nos salons.

Le progrès fut si effrayant et si rapide que Melchior n'eut pas le temps de se reconnaître. Tout ce qui avait rempli son existence passée s'effaça comme un nuage à l'horizon. Le vin, le jeu, le tabac, les seuls plaisirs du marin, lui inspirèrent du dégoût ; la flamme du punch ne l'égaya plus ; les propos grossiers choquèrent son oreille.

Dans les chants de l'orgie, il apparaissait sombre et irrité, craignant toujours qu'on ne troublât le repos de Jenny, et quand ses compagnons, devinant à demi son mal, osèrent le railler, ils rencontrèrent la menace sur ses lèvres et la vengeance dans son regard. Le premier qui eût prononcé alors le nom de Jenny fût tombé sous le couteau que Melchior pressait dans sa main tremblante.

Il n'y a pas à bord de secret longtemps gardé ; Jenny entendit bientôt faire la remarque du changement qui s'opérait dans le caractère de son cousin.

La femme du monde la plus simple ne manque jamais de perspicacité lorsqu'il s'agit du principal, du seul intérêt de sa vie. Melchior croyait encore son secret caché bien avant dans son cœur, que Jenny l'avait découvert.

Alors le bonheur embellit Jenny de tout l'éclat du triomphe ; la naïve enfant ne sentit pas plus tôt sa puissance, qu'elle en usa en reine de quinze ans ; elle devint folâtre, maligne, coquette avec candeur, cruelle avec tendresse. Ce fut le dernier coup.

Melchior ne chercha plus à lutter contre son propre cœur ; il accepta les maux et les biens de cette existence nouvelle, et ne voulut résister qu'autant qu'il le fallait pour n'être pas coupable.

Mais si cette résistance eût été difficile dans une circonstance ordinaire de la vie, elle devenait pour ainsi dire surhumaine là où était Melchior.

Jeté au milieu de l'immense Océan, dans une petite société d'exception, où la nécessité est dieu, le navigateur ne saurait plier sa conviction aux mêmes volontés qui régissent les continents.

La mer est une contrée de refuge ; elle a ses immuables franchises, ses droits d'asile, ses solennels pardons. Là meurt l'empire des lois, si le faible parvient à devenir fort ; là l'esclavage peut se rire du joug brisé, et demander aux éléments protection contre les hommes.

Pour celui qui, comme Melchior, ne peut plus établir son bonheur dans la société, c'est une redoutable tentation que six mois arrachés sur les flots à l'inflexibilité des lois humaines.

III

Hélas ! c'est quelquefois un rêve bien bizarre qu'une traversée maritime. Là tout se confond, tout s'oublie ; là deviennent possibles les intimités proscrites sur le sol habité.

Il ne faut pas croire qu'il n'y ait d'étrange dans cette vie que le nom barbare des planches et des cordes, les mœurs brutales ou les sonores juremens des matelots ; la littérature nautique a faussé sa vocation et méconnu sa richesse, quand elle s'est bornée à ces stériles détails statistiques ; elle ne nous a pas assez dit l'influence de la situation sur le cœur humain, lorsqu'il se trouve ainsi poussé en dehors de la vie commune, et que son existence sociale est, pour ainsi dire, suspendue.

Une semblable transition dans ses mœurs peut le bouleverser et lui ouvrir une carrière d'espérances chimériques. Songe heureux bercé par les flots hospitaliers, mais que la moindre secousse d'un atterrissement doit faire évanouir !

Melchior se laissa emporter plus d'une fois à ces décevantes pensées. Il se demanda, dans sa philosophie sauvage et naturelle, si l'homme n'était pas le plus déplorablement organisé des animaux, puisqu'il avait la prévoyance, et s'il ne répondrait pas mieux au vœu de la création en jouissant d'un beau jour qu'en le troublant par le remords de la veille ou l'appréhension du lendemain.

C'étaient là de bien hautes et téméraires pensées pour Melchior, mais elles viennent ainsi plus souvent qu'on ne pense aux esprits droits et simples.

Chaque nuit il eut des heures de délire où il jura d'oublier toutes ces conventions intéressées, dont le sentiment s'appelle une conscience ; il tordit ses mains avec rage, et demanda au ciel, parmi les gémissements de la vague et les plaintes du vent dans les cordages, pourquoi, ainsi qu'aux autres hommes, il ne lui avait pas laissé sa part d'avenir.

Quelle était donc la cause des insomnies désespérées de ce jeune homme ? Pourquoi ne devinait-il pas que le bonheur était sous sa main ? Que ne l'acceptait-il avec transport au lieu de le fuir avec terreur !

C'est qu'un horrible secret dormait dans ses entrailles ; c'est que son amour ne pouvait plus apporter à Jenny que la honte et le déshonneur ; c'est que Melchior était marié.

À peine âgé de vingt ans, il revenait vers sa patrie muni d'une assez forte somme de butin faite sur un pirate d'Alger, lorsqu'il s'arrêta en Sicile, et se fit honneur d'une partie de sa richesse avec la Térésine. Il réservait le reste à sa mère.

La Térésine était une fille adroite, intrigante, et sachant jouer la vertu au désespoir avec assez d'intelligence.

Au moment où Melchior voulut s'éloigner, elle déploya tous ses talents dramatiques avec un tel succès (elle était précisément dans un jour d'inspiration) que le crédule et naïf jeune homme crut avoir abusé de son innocence. Il l'épousa.

Un frère de la Térésine, huissier avide et retors, veilla à ce que le mariage ne manquât d'aucune des formalités qui pouvaient le rendre indissoluble. Il n'est besoin de dire que le contrat assurait à madame Melchior le reste de la part de pillage échue à Melchior sur le corsaire.

Le lendemain de la cérémonie il surprit une irrécusable preuve de l'infidélité de sa femme ; il partit les mains vides et le cœur libre, mais il n'en resta pas moins irrévocablement lié à cette femme oubliée, dont il fallut bien se ressouvenir auprès de Jenny. C'était là le motif de sa facile soumission, de sa grossière froideur. Il avait cru pouvoir sans danger et sans crime transiger mentalement avec la fantaisie de son oncle. Pour assurer l'existence de sa mère il était descendu sans remords à cette feinte, et maintenant encore il croyait n'avoir compromis que son propre bonheur, joué que son propre avenir.

Il y avait des jours cependant où il croyait sentir la main de Jenny brûler et trembler dans la sienne, des jours où son humide regard lui semblait trahir d'ineffables révélations. Et puis il rougissait de son orgueil ; il avait honte de se trouver fat, et il retombait plus avant dans l'inouïe souffrance qui le dévorait.

Dès qu'il revenait au sentiment du devoir, la douleur abreuvait son âme ; il demandait compte à Dieu avec d'amers sanglots de sa portion d'existence, si fatalement perdue. Avait-il réussi à engourdir ses remords, il s'éveillait en sursaut au bord d'un abîme, et priait le ciel de le préserver.

Six mois plus tôt peut-être, il eût consenti à tromper une femme qui se fût offerte à son grossier amour ; car s'il avait été honnête homme jusque-là, c'était par instinct, peut-être par hasard.

En lui avait bien toujours résidé je ne sais quelle loyauté innée, germe de grandeur longtemps inculte ; mais aujourd'hui, l'image de Jenny radieuse et pure venait, comme une révélation d'en haut, éclairer le néant de ses pensées.

Avant elle il avait eu des sensations ; elle lui apportait des idées ; elle trouvait des noms à toutes ses facultés, un sens à des noms qui n'étaient pour lui jusque-là que des mots ; elle était le livre où il apprenait la vie, le miroir où il découvrait son âme.

Un soir Jenny lui parut plus dangereuse que de coutume ; elle avait parlé secrètement à son père ; elle lui avait avoué que Melchior commençait à lui sembler plus digne d'elle. Le nabab s'en était réjoui.

Jenny croyait tenir le bonheur dans sa main ; elle bénissait la destinée qui s'ouvrait si large et si facile devant elle. La seule chose qu'elle eût regardée comme incertaine, l'amour de Melchior lui était assuré. Le manque d'espoir le retenait encore, mais il n'y avait qu'un mot à dire pour le combler de joie.

Jenny s'amusait comme une enfant de l'impatience qu'elle lui supposait ; elle jouait encore avec ses tourments ; elle était si sûre de les faire cesser ! Elle tenait son aveu en suspens comme un trésor dont elle était orgueilleuse, et se plaisait à le faire briller aux yeux de l'infortuné qui ne devait jamais s'en réjouir.

Melchior, tout éperdu, tout palpitant sous le feu de ses regards, désireux de comprendre ce muet langage, épouvanté lorsqu'il croyait l'avoir compris, fut pendant le souper, en proie à une violente irritation fébrile. Le repas se prolongea plus que de coutume. On fit du punch et du gloria. Jenny prit du thé.

Melchior restait enchaîné sur le divan auprès d'elle ; la lampe suspendue à la voûte n'éclairait plus que faiblement l'intérieur de la salle. Dans cette lueur vague, Jenny apparaissait comme une création si fine et si suave, que Melchior se figura être sous l'empire d'un de ces rêves qui le dévoraient dans l'ardeur des nuits, alors que Jenny surgissait devant lui fugitive et décevante comme ses espérances ; il prit sa main avec un mouvement de fureur, et, protégé par l'ombre qui s'épaississait autour d'eux, il y imprima non pas ses lèvres, mais ses dents. Ce fut une caresse cruelle et terrible comme son amour.

Jenny étouffa un cri et se tourna vers lui d'un air de reproche ; une larme de souffrance coulait sur sa joue ; mais, dans l'incertitude de la lumière, Melchior cru voir dans son œil humide une expression de pardon et de tendresse si passionnée qu'il faillit tomber à ses pieds.

Alors faisant un effort sur lui-même, il s'élança dans l'escalier de l'écoutille sous le prétexte d'aller demander de la lumière ; il courut sur le pont, enjamba les bastingages et se jeta sur un porte-hauban.

Ces banquettes, adossées extérieurement à la coque du navire, sont des sièges fort agréables pour rêver ou pour dormir lorsqu'on est sous le vent, qu'un air vif et pur dilate vos poumons et que dans une belle nuit d'été l'écume vient mollement vous baiser les pieds.

La journée avait été sombre ; le ciel était encore parsemé de nuages longs, étroits, déchirés, lorsque la lune commença à sortir de la mer. Son disque était rouge comme le fer dans la fournaise ; le bord plongeait encore dans les flots noirâtres, l'autre s'enfonçait sous un bandeau d'un bleu sombre qui ceignait l'horizon.

On eût dit un soleil à demi éteint se levant pour la dernière fois sur un monde prêt à rentrer dans le chaos. Cette lune mate et sanglante avait quelque chose d'effrayant pour une âme remplie d'amour et par conséquent de superstitions.

Melchior pensa à Dieu. Il ne se demanda plus s'il existait ; il en avait trop besoin pour en douter ; il le conjura de le protéger, de sauver Jenny...

Un léger bruit lui fit lever la tête ; en se retournant, il vit au-dessus de lui comme une ombre diaphane qui semblait voltiger sur la rampe du navire ; c'était Jenny qui se hasardait, imprudente et folâtre, à rejoindre son fugitif. Le vent faisait claqueter sa robe blanche et collait autour de ses jambes fines et rondes les larges plis de son pantalon.

– Allez-vous-en, Jenny, cria Melchior avec un ton d'autorité. Vous allez tomber à la mer, vous êtes une folle !...

– Si vous me croyez si maladroite, répondit-elle, donnez-moi la main.

– Je ne vous la donnerai point, reprit-il avec humeur ; les femmes ne viennent point ici ; c'est contre ma consigne.

– Vous mentez, Melchior !

– Un coup de vent peut vous jeter à la mer.

– Et si j'y tombais, ne sauriez-vous pas me sauver ?

Et se laissant mollement bercer par toutes les ondulations que la houle imprimait au navire, Jenny, soit par coquetterie, soit pour se divertir de l'effroi de Melchior, restait là comme une jeune mouette perchée dans les cordages.

– Je ne vous sauverais peut-être pas, Jenny ; mais, à coup sûr, je périrais avec vous !

– Puisque c'est pour vous-même que vous tremblez, je vais faire cesser votre anxiété.

En parlant ainsi, elle s'élança comme une blanche levrette, et tomba sur ses pieds, à côté de Melchior ; mais il ouvrit ses bras, et le contrecoup y fit tomber la jeune fille.

En sentant ce beau corps frissonner sur sa poitrine, en respirant cette mousseline de l'Inde, tout imprégnée d'un chaste parfum de jeune fille, tandis que le vent lui jetait au visage les blonds cheveux de Jenny, Melchior sentit aussi s'évanouir sa force.

Un nuage passa devant ses yeux, et son sang bourdonna dans ses oreilles. Il étreignit Jenny contre son cœur ; mais ce fut une joie rapide comme l'éclair. Un froid mortel lui succéda. Il déposa tristement sa cousine auprès de lui, et resta silencieux et sombre, découragé de souffrir.

Mais Jenny, tout enfant qu'elle était, sembla deviner en ce moment les dangers de son imprudence ; elle demeura quelques instants confuse, éprouva je ne sais quel malaise, et regretta d'être descendue dans le porte-hauban ; mais elle était venue là pour réparer ses barbaries, et la conscience du bien qu'elle allait faire lui rendit le courage.

– Tout à l'heure, Melchior, dit-elle, vous n'étiez pas sûr de me sauver si je tombais à la mer. C'est là votre caractère, je crois. Vous doutez de la destinée ; vous avez le courage du malheur ; mais vous n'avez pas de confiance en votre avenir.

– Oh ! dit Melchior avec humeur, chacun son lot. Vous êtes

contente du vôtre, je le crois bien ! Moi, je ne me plains pas du mien : ce n'est pas le fait d'un homme.

– Qui donc vous a rendu si différent de vous-même depuis peu ? dit-elle avec une douceur insinuante ; car elle eût bien voulu faire solliciter un peu ses bienfaits. Le malheur, disiez-vous naguère, n'a de prise que sur les cœurs faibles. Qu'avez-vous fait du vôtre, Melchior ?

– Et où prenez-vous que j'aie un cœur, Jenny ? qui vous l'a montré, qui vous l'a vanté ? Ce n'est pas moi, sans doute. Et si, le cherchant, vous ne le trouvez pas, à qui devez-vous vous en prendre !

– Vous êtes amer, mon bon Melchior ; vous avez quelque chagrin ? Pourquoi ne me le pas confier ? Je l'adoucirais peut-être.

– Voulez-vous avoir pitié de moi, Jenny ?

Jenny prit la main de Melchior et promit.

– Eh bien ! laissez-moi, dit-il en la repoussant : c'est tout ce que je vous demande ; car, en vérité, vous êtes bien cruelle envers moi sans le savoir.

– Sans le savoir ! pensa Jenny.

Elle trouva un reproche profondément mérité dans ces trois mots.

– Je ne veux plus l'être, dit-elle avec effusion. Écoutez, Melchior ; vous me croyez coquette ? Oh ! vous avez tort ! C'est vous qui avez été cruel, et bien longtemps ! Mais tout cela est oublié. Mes chagrins sont finis ; que les vôtres s'effacent de même !

Et elle lui sourit à travers ses larmes.

Mais comme elle vit que Melchior restait immobile et muet, elle fit encore un effort sur cette délicate fierté de femme que Melchior ne savait pas épargner.

– Oui, mon cousin, lui dit-elle en mettant ses petites mains dans les larges mains de Melchior, ayez confiance en moi... Mon Dieu ! comment vous le dirai-je ? comment vous le ferai-je croire ? Vous ne voulez pas comprendre. C'est la faute de votre modestie, et je vous en estime davantage. Eh bien ! je fais une chose contraire à la retenue qui convient à une jeune fille : je vous ouvre mon cœur ; pourquoi vous le tiendrais-je fermé plus longtemps ; n'êtes-vous pas digne de le posséder ?

Melchior ne répondait rien. Il tenait les mains de Jenny étroitement serrées dans les siennes. Il tremblait, et la regardait d'un œil égaré.

Pourtant il y avait de la fascination dans ses yeux, qui étincelaient dans l'ombre comme ceux d'une panthère ; puis il repoussa Jenny si brusquement, qu'il faillit la faire tomber. Il la ressaisit avec effroi et la serra de nouveau contre lui. Le banc était court pour deux personnes ; il attira Jenny à demi sur ses genoux, et meurtrit son cou délicat de baisers rapides et furieux.

Jenny eut peur ; elle voulut fuir, puis elle pleura, et revint en sanglotant se jeter à son cou.

– Parle-moi, Jenny, parle-moi, dit Melchior d'une voix étouffée. Il me semble quand je t'écoute que je suis mieux. Dis-moi que tu m'aimes ; dis-le-moi, afin que j'aie vécu au moins un jour.

– Oui, je t'aimais, dit la jeune fille, et je t'aime encore, méchant. Pourquoi sembles-tu en douter ? Je t'aimais alors même que tu méprisais cet amour caché dans mon cœur. Je t'aime encore mieux aujourd'hui, que j'ai vu s'ouvrir à moi ton âme virile ; et puis encore, pour ton humble estime de toi-même, pour ta résistance loyale, pour ta fidélité à la foi jurée à mon père, pour le mépris que tu as des richesses, pour l'amour que tu portes à ta mère, pour combien de vertus ignorées de toi, ne t'aimé-je pas, Melchior ?

– Ah ! laissez, laissez, Jenny, dit-il en cachant sa tête dans ses mains ; ne me vantez pas ainsi : vous me faites rougir jusqu'au fond de mes entrailles. Ah ! c'est que vous ne savez pas, Jenny ; je n'étais pas digne de vous ; vous ne pouvez pas, vous ne devez pas m'aimer. Ce ne sont pas toutes ces vertus qui me forçaient au silence. Je... je ne vous aimais pas ; j'étais une brute, un misérable ; je ne voulais pas vous comprendre ; je me croyais un cœur d'homme au-dessus de ces faiblesses-là. Je vous ai dédaignée, Jenny ; vous devriez vous le rappeler, et ne pas me le pardonner ainsi... Non, Jenny, il ne faut pas me le pardonner...

L'infortuné éludait le motif, le terrible motif de sa résistance. Jenny se plaisait toujours à l'espoir de la vaincre.

– Je sais tout, lui disait-elle ; vous étiez un grand enfant ; vous ne saviez rien de toutes ces choses que l'éducation m'avait apprises.

Oh ! moi, je vous avais rêvé depuis longtemps. J'étais de beaucoup moins grande que je ne suis maintenant, et déjà je vous demandais à l'avenir. J'étais si seule, si mélancolique !

« Si vous saviez dans quels ennuis, dans quelles douleurs j'ai vécu ! et puis dans quel isolement affreux je me suis trouvée après que tous mes frères eurent disparu tour à tour ! Comme le désespoir de mon père me navrait, comme ses larmes retombaient sur mon cœur !

« Alors je sentis le besoin d'avoir un appui, un frère qui m'aidât à le consoler ; mais nul de ceux qui s'approchèrent ne répondit à mon attente. Ils ne voyaient en moi, ces hommes à l'âme étroite, que l'héritière du nabab. Aucun ne se mit en peine de comprendre Jenny. Alors, mon ami, je priais chaque soir mon ange gardien de l'amener vers moi. J'appelais un cœur noble, ingénu comme le tien, un cœur où n'eussent pas régné d'autres femmes, et qui m'apportât en dot les mêmes trésors d'amour que je lui gardais.

« Oh ! quand j'ai entendu prononcer ton nom pour la première fois, j'ai tressailli ! comme si cela me rappelait quelque chose.

« Vois-tu, Melchior, j'ai un peu des superstitions du pays où je suis née. Il me semble que nous vivons plus d'une vie sur cette terre, et peut-être que, sous une autre forme, nous nous sommes déjà connus, déjà aimés...

– Que Dieu t'entende, Jenny ! s'écria impétueusement Melchior, et qu'il me donne une autre vie que celle-ci pour te posséder.

Un coup de vent sec et brusque fit péter l'écoute du grand hunier.

Le capitaine s'élança sur le pont, son *braillard* à la main.

– À la manœuvre, à la manœuvre ! les passagers dans la dunette ! Melchior, veillez à l'artimon !

Melchior saisit Jenny dans ses bras, la porta sur le tillac, et se rendit à son poste par une habitude d'obéissance passive, si forte qu'elle faisait encore taire la passion.

La nuit fut mauvaise, la mer dure et houleuse.

Cependant le vent tomba vers le malin ; le ciel était balayé de tous ses nuages, lorsque le soleil se leva clair et chaud derrière le rocher de Sainte-Hélène. La brise matinale apportait le parfum des géraniums.

Deux seules personnes, Melchior et Jenny, passèrent presque indifféremment en vue de cette île, qui renfermait encore le dernier prestige de la royauté.

Le ciel était d'un bleu si étincelant que les yeux en étaient fatigués. Seulement une légère vapeur troublait un peu la transparence de l'horizon.

Melchior prétendit que c'était là un temps de grain ; de vieux matelots nièrent le fait ; les passagers s'effrayèrent. Melchior, avec une joie cruelle, insista sur ce sinistre présage. Ne jamais revoir la terre, mourir en tenant Jenny embrassée, c'est le seul bonheur possible pour lui désormais, et il invoquait la colère des éléments.

Bientôt la fraîcheur du matin se convertit en brise soutenue ; l'air devint piquant, et les vagues commencèrent à *moutonner*. Des troupes de marsouins passaient en grondant sous la proue du navire, et des satanites au plumage funèbre s'arrêtaient par intervalles sur le sillage du gouvernail.

Peu à peu les flots se teignirent en noir ; le vent d'ouest augmenta, et cette partie de l'horizon se trouva comme subitement chargée de nuages légers et blanchâtres à leur naissance. On les voyait grandir avec rapidité, prendre du corps et passer à des teintes livides, mornes, cadavéreuses. D'abord ils traversaient les airs sans se dissoudre ; puis, tombant sous le vent, ils disparurent ; mais à la fin il s'en forma un plus fixe et plus épais que les autres. Il s'étendit insensiblement jusque sur le navire, sans que sa base eût changé de place.

Peu de temps après, il avait envahi tout le ciel, et la tempête qu'il renfermait éclata avec un bruit semblable au claquement d'un fouet.

Frappé de ses redoutables ailes, le navire touchait les flots du bout de ses grandes vergues. Il fallut descendre les huniers et serrer toutes les voiles.

De gros oiseaux noirs s'abattirent autour de l'équipage avec des cris sinistres. Quelquefois un rayon du soleil se glissait obliquement dans une déchirure du nuage immense ; mais sa lumière pâle et sans chaleur ajoutait encore à l'horreur du tableau.

Melchior avait retrouvé sa joviale insouciance, son énergique vivacité. Quand tout l'équipage était morne et consterné, lui seul touchait à l'accomplissement du seul de ses vœux qui pût être exaucé.

Pour Jenny, elle était profondément abattue. À quinze ans on ne renonce pas sans regret à un amour qui commence, à un bonheur qui se lève.

La nuit arriva, et les vents ne se calmaient point ; la mer grossissait toujours.

Au milieu des ténèbres, les flots brillaient d'une infinité de phosphores, et le bâtiment semblait voguer sur une mer de feu. Les vagues, en se brisant, faisaient jaillir des gerbes de lumières.

Melchior quitta la manœuvre au plus fort du danger. Ses compagnons crurent qu'une des lames qui franchissaient par instants le tillac avec furie l'avait emporté.

Il était passé dans la dunette. Les passagers, rassemblés dans le salon, ne pouvant se tenir debout, s'étaient couchés pêle-mêle sur le parquet, adossés au divan stationnaire qui environnait le pourtour, les uns tourmentés du mal de mer, les autres terrassés par la frayeur. Ils avaient épuisé toutes les formules de la plainte et de l'exclamation, et gardaient un triste et morne silence.

Le nabab, brisé par la fatigue au point de ne plus sentir la peur, était tombé dans une sorte d'imbécillité. Il s'assoupissait chaque fois que le roulis avait cessé d'imprimer au navire un de ces bonds terribles dont chacun semblait devoir être le dernier. Jenny, agenouillée près de lui, pâle et toute couverte de ses longs cheveux épars, invoquait la Vierge. Jamais elle ne s'était montrée si belle aux yeux de Melchior.

Il posa sa main froide sur le bras de la jeune fille ; elle tressaillit, et, s'attachant à lui avec force :

– Vous venez mourir avec nous ? lui dit-elle.

Melchior ne répondit rien et l'attira vers lui.

Jenny se laissa machinalement entraîner dans une des cabines dont les portes donnaient sur le salon. C'était la chambre de Melchior, et il referma la porte.

– Pourquoi m'amenez-vous ici, dit Jenny en s'éveillant comme d'un rêve ? Ma place est auprès de mon père ; allons lui demander sa bénédiction, Melchior, et qu'il meure entre nous deux.

– Tout à l'heure, Jenny, répondit Melchior d'une voix calme. Avant que ce noble bâtiment soit brisé tout entier, il se passera encore une heure. Une heure ! entendez-vous, Jenny, c'est tout ce qui nous reste.

– Mais je ne dois pas rester ici, dit Jenny dont l'effroi changeait de nature, que pensera-t-on ?...

– Personne n'est en état de s'occuper de vous en ce moment, Jenny, pas même votre père. Moi seul je me rappelle que j'ai ici deux vies à perdre. Écoutez-moi, Jenny. Si nous étions à cette heure libres tous deux, devant un prêtre, me donneriez-vous votre main ?

– Ma main, mon cœur, tout ! répondit-elle.

– Eh bien ! il n'y a point ici de prêtre, mais nous sommes devant Dieu. Il m'est témoin que je vous aime de toutes les forces d'une âme humaine. N'est-ce point là un serment solennel et sacré ?

– Il me suffit pour mourir heureuse, dit Jenny en jetant ses bras au cou du marin.

– Eh bien ! lui dit-il avec un transport qui ressemblait à de la rage, sois donc à moi sur la terre ; car qui sait si comme toi j'ai mérité le ciel ? Tu ne voudrais pas te séparer à jamais de moi sans être ma femme, Jenny ! Quand la Providence me refuse un jour de vie, tu ne voudrais pas te faire sa complice ? Viens ! dans cet instant suprême tu es plus que le Dieu qui me frappe ; tu lui disputes sa proie, tu annules l'effet de sa colère. Viens et ne crains pas la mort, car je ne regretterai pas la vie.

Il était à ses genoux, il couvrait son sein de larmes brûlantes.

– Oh ! Melchior, dit Jenny éperdue, écoutez le craquement du navire : n'irritons pas le ciel dans ce moment.

– Le ciel ! c'est toi, dit Melchior ; est-ce qu'il y a un autre Dieu que toi, ma Jenny ? Ne me repousse donc plus, si tu ne veux que la mort me soit horrible...

« Oh ! hâtons-nous ! entends-tu cette vague qui vient de tomber au-dessus de nos têtes ? Et cette autre ? c'est comme le bruit du canon. Ô délices célestes ! Jenny, ma Jenny, il ne te reste qu'un instant pour me prouver que tu m'aimes, et tu ne peux me refuser !...

IV

Cependant le navire, battu par la houle, jeté tour à tour sur chacun de ses flancs fatigués, semblait attendre dans une pénible agonie le moment de sa destruction.

Mais, contre toute espérance, il résista ; le vent tomba un peu, la mer s'aplanit insensiblement.

Vers le matin on put entendre la voix humaine au-dessus du rugissement des vagues ; celle de James Lockrist appelait sa fille avec anxiété ; celle du capitaine criait par l'écoutille de l'habitacle :

– Oh d'en-bas ! ferons-nous un vœu pour vous faire monter, Melchior ?

Les deux amants profitèrent de la confusion qui régnait encore pour se séparer sans être vus.

Jenny alla cacher son visage brûlant dans le sein de son père, et Melchior, en remontant sur le pont, vit avec terreur que le danger était passé, et que chacun remerciait Dieu, la Vierge ou Satan, selon sa prédilection particulière.

Ce jour-là Melchior fut pâle, abattu, distrait ; ses yeux ne rencontraient plus ceux de Jenny, et quand elle se fut décidée à l'interroger sur sa santé, il lui répondit d'un air effaré qu'il était accablé de sommeil.

Jusqu'au soir l'équipage fut trop occupé de réparer les avaries du bâtiment pour s'apercevoir de la préoccupation de Melchior ; mais le soir, à souper, on remarqua qu'il cherchait à s'enivrer sans y parvenir, et qu'après avoir bu beaucoup de rhum, il était plus triste qu'auparavant ; le capitaine, qui l'aimait, remit au lendemain à le réprimander de son absence à la manœuvre la nuit précédente.

La lune n'était pas encore levée lorsque Melchior descendit dans le porte-hauban.

Un instant après Jenny fut à ses côtés ; il lui avait fait un signe en quittant le réfectoire.

– Jenny, lui dit-il en la forçant de s'asseoir sur ses genoux, regrettes-tu de m'avoir rendu heureux ? Rougis-tu d'être ma femme ?

Jenny ne répondit que par des larmes et des caresses.

Melchior lui dit encore :

– Tu crois à une autre vie, n'est-ce pas, ma bien-aimée ?

– J'y crois, surtout depuis que je t'aime, lui répondit-elle.

– L'autre nuit, pendant la tourmente, reprit Melchior, j'ai vu deux flammes s'agiter à la cime des mâts : elles semblaient se chercher, se fuir, s'appeler tour à tour, puis elles se joignirent et disparurent.

« Penses-tu, Jenny, que ce fussent deux âmes ?

En parlant ainsi, Melchior se dressa sur la banquette en tenant toujours Jenny dans ses bras.

Ce mouvement lui fit peur ; elle se cramponna à son vêtement.

– Sois tranquille, lui dit-il, rien ne nous séparera ; tu ne seras jamais à un autre qu'à moi, et je ne perdrai jamais ton amour.

En disant ces mots, il s'élança avec elle dans la mer.

Le cri que poussa Jenny fut entendu du timonier ; l'alarme fut donnée. On vit Melchior lutter contre la houle encore trop rude qui le rejetait contre la poupe.

Un matelot, habile nageur dont il avait sauvé la vie, le retira de la mer ; mais le corps que Melchior tenait embrassé ne rouvrit pas les yeux, et retourna le lendemain à la mer avec les cérémonies d'usage pour les sépultures nautiques. Melchior ne comprit rien à ce qui se passait autour de lui ; il sourit d'un air stupide en voyant le nabab arracher ses cheveux blancs.

Sa santé se rétablit plus vite qu'on ne l'espérait, et il reprit son service, qu'il remplit avec une admirable ponctualité, jusqu'à son débarquement en France. Seulement, il fut impossible de lui arracher une parole relative à sa vie passée et au terrible événement qui lui avait fait perdre la mémoire.

En arrivant chez sa mère, Melchior trouva parmi des lettres qui l'attendaient un papier qui sembla fixer son attention ; il le regarda longtemps et parut faire d'incroyables efforts pour ressaisir le sens des choses qu'il contenait ; puis, tout d'un coup, il le froissa dans ses mains, poussa un cri terrible et courut à une fenêtre pour s'y précipiter.

On se jeta sur lui, on ramassa le papier ; c'était l'extrait mortuaire de la Térésine.

On le tint garrotté pendant plusieurs jours ; il déchirait les cordes avec ses dents ; il les rompait avec la tension de ses muscles, il couvrait d'imprécations les gardiens qui cherchaient à le préserver de sa propre fureur ; il leur demandait ensuite avec des sanglots une arme pour s'ôter la vie.

Cette crise cessa ; la mémoire disparut. Melchior reprit son service à bord d'un bâtiment frété pour Buenos-Aires.

C'est encore aujourd'hui un excellent officier de marine, ponctuel, vigilant et brave. Seulement, une fois par an, sa mémoire revient ; il s'élance aux sabords, appelle Jenny et veut se noyer.

Les matelots qui l'ont connu à bord de l'*Inkle et Yariko* assurent qu'il a perdu la raison pour n'avoir jamais su boire, et ils en tirent comme principe d'hygiène la conséquence qui leur plait le mieux. Ils regardent comme ses instants lucides ceux où il perd le sentiment de son infortune et de ses remords ; mais, au contraire, c'est la raison qui revient avec le désespoir et la fureur.

Alors on est obligé de le garder à fond de cale.

Le reste du temps, il est paisible et raisonne parfaitement sur toutes les choses présentes.

C'est alors qu'il est fou.

Milton Keynes UK
Ingram Content Group UK Ltd.
UKHW051012101023
430299UK00009B/482

9 791041 838899